Diane Groulx

Le renne de Robin

Illustrations
Julie Rémillard-Bélanger

Collection Oiseau-mouche

Éditions du Phœnix

Dépôt légal 3e trimestre 2005
Bibliothèque nationale du Québec
Bibliothèque nationale du Canada

Imprimé au Canada

Illustrations : Julie Rémillard-Bélanger
Graphisme : Guadalupe Trejo
Révision linguistique : Lucie Michaud

Éditions du Phœnix
206, rue Laurier
L'Île Bizard (Montréal)
(Québec) Canada H9C 2W9
Tél.: (514) 696-7381
Téléc.: (514) 696-7685

Catalogage avant publication de Bibliothèque et Archives Canada

Groulx, Diane, 1965-

Le renne de Robin

(Collection Oiseau-mouche ; 2)
Pour enfants de 6 ans et plus.

ISBN 2-923425-00-6

I. Bélanger, Julie R. (Julie Rémillard), 1972- ..
II. Titre. III. Collection.

PS8563.R765R46 2005 jC843'.54 C2005-941202-X
PS9563.R765R46 2005

Logo de la collection:
Guadalupe Trejo

Diane Groulx

Le renne de Robin

Éditions du Phœnix

De la même auteure, chez d'autres éditeurs

Le messager de la nuit, coll. «roman de l'aube», Éditions du soleil de minuit, 2003.

«Le sport de maman», in Les nouvelles du sport, collectif de l'AEQJ, Vents d'Ouest, 2003.

L'anniversaire d'Aputik, coll. «album illustré», Éditions du soleil de minuit, 2003.

«Le trésor de la toundra» in *J'aime Lire*, numéro 159, mai 2003.

La visite nordique, coll. «roman jeunesse», Éditions du soleil de minuit, 2002.

«Atchoum !», in *Mille millions de misères*, collectif de l'AEQJ, Vents d'Ouest, 2002.

Sonate pour un violon, coll. «Sésame», Éditions Pierre Tisseyre, 2002.

Au-delà des apparences, coll. «Ados/adultes», Éditions de la Paix, 2001.

«Le vampire», in *Petites malices et grosses bêtises*, collectif de l'AEQJ, Éditions Pierre Tisseyre, 2001.

Un été abominable, coll. «Nature Jeunesse», Éditions Michel Quintin, 2001.

L'album d'Aputik, coll. «album illustré», Éditions du soleil de minuit, 2001.

«Le courant électronique», in *Futurs sur mesure*, collectif de l'AEQJ, Éditions Pierre Tisseyre, 2000.

La grand-mère d'Aputik, coll. «album illustré», Éditions du soleil de minuit, 2000. Sélection de Communication-Jeunesse 2001.

Pingualuit ou la fontaine de Jouvence, coll. «roman de l'aube», Éditions du soleil de minuit, 1999.

Terreur dans la taïga, coll. «roman jeunesse», Éditions du soleil de minuit, 1998. Sélection de Communication-Jeunesse 2000.

Le défi nordique, coll. «roman jeunesse», Éditions du soleil de minuit, 1997. Sélection de Communication-Jeunesse 1999.

Je dédie ce livre à mon fils Achile, qui a reçu un renne du Père Noël. Son enthousiasme a été tel qu'il en a convaincu toute sa classe, des cinq aux onze ans.

Même son éducateur Yannick s'est laissé envahir par la magie de Noël !

1

La lettre

Ma mère insiste pour que j'aide mon petit frère Robin, qui a cinq ans, à écrire sa lettre au Père Noël. Ça m'ennuie, car je n'écris plus de lettre au Père Noël depuis longtemps. Comble de malheur, mon frère est déjà installé à la table avec ses crayons de couleurs. En deux temps, trois mouvements, il finit de gribouiller sa feuille et n'attend plus que moi.

— Tu viens écrire pour moi, Margaux ? me demande-t-il.

— Tu devrais prendre ton temps et t'appliquer à faire un plus beau dessin, que je lui suggère.

Insulté, il m'explique que son dessin n'est pas un barbouillage, mais bien le chemin que le Père Noël doit emprunter pour se rendre chez nous sans se perdre. Mon petit frère m'étonnera toujours !

Il me dicte ensuite sa liste de cadeaux, qui n'en finit plus de finir.

— Tu écris bien tout ce que je te dis ?

CARTE

Robin est un peu inquiet, car je ne suis pas très enthousiaste. Je le rassure :

— Oui, mais tu vas trop vite. Ralentis un peu.

— C'est quoi la dernière chose que tu as écrite ? me demande-t-il en faisant semblant de déchiffrer ma calligraphie, lui qui ne sait pas encore lire.

— Des bas de ton superhéros préféré…

— Oui, c'est ça et puis…

Il plisse le nez en réfléchissant au prochain cadeau qui lui ferait plaisir. Et le voilà qui me demande d'écrire l'habillement complet de son fameux superhéros : des caleçons à la tuque !

— Aussi des rails de chemin de fer pour mon train et…

— Pas si vite, Robin.

Je secoue ma main droite, celle avec laquelle j'écris, pour chasser une vilaine crampe. Mon frère grimace : il a peur que je ne puisse plus continuer sa lettre. D’une voix douce, il me confie :

— Il reste juste une dernière chose à écrire.

— Tu veux beaucoup de cadeaux. Tu crois vraiment que le Père Noël va t'apporter tout ce que tu as demandé ?

— Peut-être. En tout cas, il va m'apporter ce que je désire le plus.

— Et qu'est-ce que c'est ?

Mon frère a piqué ma curiosité. Quel cadeau lui ferait le plus plaisir parmi tous ceux que contient sa lettre ?

— Tu n'as pas encore écrit le plus important, me révèle-t-il.

— Vas-y, mais je t'avertis, après il n'y aura plus de place sur le papier.

— Je sais. Alors voilà, écris : et un de vos rennes.

Quoi ? Je ne suis pas certaine d'avoir bien entendu. Je le fais répéter, car cette dernière demande ne semble pas à sa place parmi tous les vêtements et les jouets désirés.

— Et un de vos rennes, redit Robin, sûr de lui. Tu sais, les rennes qui tirent le traîneau rempli de cadeaux !

— Oui, bien sûr, je les connais. Mais tu veux un des rennes du Père Noël ??? réussis-je à dire, étonnée.

— Tu crois que maman voudra ? s'inquiète-t-il tout à coup.

2

L'attente

Mon frère me suit partout, son enveloppe à la main. Depuis une heure, il me demande de l'accompagner au bureau de poste pour acheter un timbre.

À contrecœur, j'enfile mon manteau, l'aide à nouer son foulard et, main dans la main, nous empruntons la rue principale.

En attendant notre tour dans la file d'attente, il clame à qui veut l'entendre que le Père Noël lui apportera un de ses rennes. Les grands-mères lui sourient. Les joues rosies par le froid et la gêne, j'entraîne mon frère jusqu'au comptoir postal. Il doit se hisser sur la pointe des pieds pour demander un timbre. Il est déçu que ce soit un timbre autocollant. Il aurait préféré le lécher.

Robin veut absolument mettre son enveloppe lui-même à la poste. Je dois le soulever pour qu'il puisse la déposer dans la boîte aux lettres.

Enfin, ma mission est accomplie. Robin est si heureux qu'il ne tient plus en place. Maintenant je lui fais comprendre qu'il doit patienter plusieurs jours avant de recevoir une réponse.

Je croyais en avoir fini avec cette histoire, mais, cinq jours plus tard, c'est jour de congé. Ma

mère nous propose une sortie en famille pour aller voir… le Père Noël ! L'air réjoui de mon petit frère m'enlève le goût de bougonner. Il est tellement excité que c'est contagieux. Je me console en me disant qu'au moins nous aurons droit, sur place, à une collation spéciale et à des tours de manège.

Sur les lieux, le décor est enchanteur et l'ambiance est à la fête. Une chorale entame des chants du temps des fêtes. Je me surprends à les fredonner. Robin me tire vers le trône du Père Noël Il veut y aller tout de suite.

Ma mère et moi apercevons la longue, l'interminable file d'attente Nous essayons de faire entendre raison à Robin.

Le Royaume du Père Noël

— Allons d'abord faire un tour de carrousel. Nous reviendrons tantôt voir le Père Noël, quand il y aura moins de monde.

— Non ! supplie mon jeune frère, les larmes aux yeux.

Il panique lorsqu'il voit l'homme vêtu de son habit rouge quitter sa chaise.

— Il prend une petite pause. Il va revenir dans quinze minutes, que je lui explique.

Mon petit frère, alarmé, insiste pour l'attendre. Il ne veut pas rater sa chance. Je soupire de découragement. Robin est le vingt-troisième enfant en ligne ! Et je ne suis pas sûre s'il faut compter les bébés dans leur pousse-pousse !

3

La grande demande

Après une heure dix-huit minutes d'attente, c'est finalement au tour de Robin. Soudainement timide, il se cache derrière moi. Le Père Noël nous sourit. Je lui trouve un air sympathique. Son habit est magnifique et lui va à merveille. Il ne porte pas de perruque ni de fausse barbe. Sa longue barbe blanche et ses cheveux frisés sont les siens. Ses petites lunettes rondes font scintiller ses beaux yeux bleus. Je frissonne à l'idée qui me traverse l'esprit : « Si le Père Noël existe vraiment, il est là devant mes yeux ! »

Il me fait signe d'approcher. Hypnotisée, je me retrouve assise sur ses genoux à lui énumérer les cadeaux que j'aimerais recevoir. Mes paroles se perdent dans un nuage de babillement.

Pour finir, le Père Noël me donne une boule en chocolat. « Enfin, un Père Noël qui a compris que la plupart des enfants n'aiment pas les cannes à la menthe ! » Une bonne raison pour

penser qu'il s'agit là du vrai de vrai. Il me remet aussi un présent. Pas une image à colorier, un vrai cadeau !

J'ai donné l'exemple à Robin, qui a retrouvé son courage. Le voilà assis sur le Père Noël. Il n'en finit plus de lui dire tout ce qu'il désire. Je le trouve impressionnant mon petit frère. Il respecte l'ordre des cadeaux qu'il m'a dictés dans sa lettre ! Et le voilà qui demande :

— …et un de vos rennes.

— Un toutou renne ? questionne le Père Noël.

— Non, non. Un de vos rennes.

Au lieu de lui dire que ça n'a pas d'allure, tel qu'il se devrait, il lui demande tout bonnement :

— Sais-tu comment en prendre soin ?

— Bien sûr ! Je vais lui faire un enclos, lui donner du foin et de l'eau fraîche.

— Bon. Alors, d'accord.

Ma mère et moi échangeons un regard rempli de détresse. Comment ça, d'accord ?

Mon frère est tellement content qu'il oublie de prendre le chocolat et le cadeau que lui tend le Père Noël.

Sur le chemin du retour, il ne cesse de répéter, qu'à Noël, il va recevoir un des rennes du Père Noël. Les usagers du métro lui sourient.

Comment mes parents vont-ils régler ce problème de taille ?

4

La promesse

Mon petit frère a reçu du courrier. Le Père Noël a répondu à sa lettre. Curieuse, je lui offre de la lire. Zut de zut ! Robin a reçu une lettre standard, imprimée sur un papier de Noël. Dans la missive, aucune mention du renne.

Mes parents sont atterrés. Ils comptaient beaucoup là-dessus pour dissuader mon frère en douceur. Maintenant, ils se croisent les doigts pour qu'il oublie, d'ici Noël…

Je fais ma part. J'essaie de le faire changer d'idée :

— Tu sais, Robin, le Père Noël ne voudra pas laisser partir un de ses rennes : il en a besoin pour tirer le traîneau rempli de cadeaux.

— Il n'a qu'à me donner un bébé renne. De toute façon, il m'a déjà dit oui !

Pour Robin, il n'y a pas de problème. J'aborde le sujet sous un autre angle :

— As-tu pensé que le renne va peut-être s'ennuyer de ses amis du pôle Nord ?

— Bien non, voyons, il ne sera pas tout seul ! Je vais être son ami.

Mon jeune frère a l'air de me trouver absurde. Je fais une dernière tentative :

— Mais qui va en prendre soin quand tu seras à l'école ?

Robin semble embêté, mais ça ne dure pas longtemps.

— Il n'aura qu'à venir avec moi !

Bon. Mes parents ne pourront pas dire que je n'ai rien fait pour le raisonner. Il termine ainsi la discussion :

— De toute façon, le Père Noël, il m'a promis !

Plus Noël approche, plus Robin se vante, auprès de ses amis... et des miens, du cadeau qu'il est certain de recevoir. Je suis sûre d'une chose : il n'oubliera pas !

Pour les vacances, nous allons à la campagne. Pendant tout le trajet, Robin n'a qu'un seul sujet de conversation : son renne ! Mes parents commencent à angoisser sérieusement. À ma connaissance, un renne, ça ne s'achète pas au magasin !

5

Le cadeau

La nuit de Noël, ma famille et moi dormons à poings fermés. Au petit matin, un bruit sourd me réveille. Je m'assois dans mon lit et je me frotte les yeux. Il n'est que cinq heures cinquante. Il me semble entendre des pas sur le toit.

« Étrange ! » que je pense. « Et si c'était… Non ! Impossible ! »

Un tintement parvient jusqu'à mes oreilles. Des grelots ? Mon petit frère s'est réveillé lui aussi. Tous les deux, nous descendons l'escalier sur la pointe des pieds. Qui sait ? Nous allons peut-être surprendre le Père Noël ?

Plusieurs boîtes colorées et enrubannées nous attendent sous le sapin décoré. Dans l'âtre, le feu est éteint, mais la porte grillagée est ouverte. Des traces de suie recouvrent le plancher de bois verni.

Sur le manteau de la cheminée, le verre de lait que nous avons laissé au Père Noël est aux trois quarts vide. Dans l'assiette, il ne reste que quelques miettes de bis-

cuits. Les huit carottes destinées aux rennes ont toutes disparu.

Nos parents nous rejoignent, les yeux encore alourdis de sommeil. Ils sont en pyjama eux aussi.

— Regardez, le Père Noël est venu ! s'exclame Robin, fou de joie.

— On l'a entendu ! que j'affirme.

Mes parents sourient en échangeant un regard complice. Puis c'est le moment tant attendu : l'un après l'autre, nous déballons les présents qui nous sont destinés. À chaque cadeau qu'il découvre, Robin est heureux mais inquiet. Il doit commencer à penser que le Père Noël n'a peut-être pas exaucé son souhait le plus cher.

Bientôt, il ne reste qu'un cadeau sous l'arbre. C'est une petite boîte.

Elle est pour mon frère. Robin l'ouvre sans espoir.

Il déballe un collier avec des grelots. Il y a une note au fond de la boîte. Je ne reconnais pas l'écriture. Je la lui lis :

Cher Robin,

J'aurais bien aimé t'offrir un de mes rennes, mais aucun n'a voulu vivre en captivité. Ton renne se trouve donc dans la forêt, près de ta maison de campagne. Sois patient et tu l'apercevras. Peut-être réussiras-tu même à l'apprivoiser.

Ton ami, le Père Noël.

Mon petit frère tourne le collier entre ses doigts. Après quelques secondes de réflexion, il m'invite à enfiler mon habit de neige :

— Tu viens ? On va aller trouver mon renne !

Pour lui faire plaisir, je l'accompagne dehors. Nous apportons une carotte pour attirer le renne. Nous patientons trente minutes, sans que rien ne se passe.

Nos parents nous appellent. Nous rentrons prendre un bon chocolat chaud. Déçu, Robin lance la carotte sous un pin, à l'orée du bois.

Je me doutais bien que l'animal resterait invisible. Après tout, il était insensé de penser que Robin avait reçu un renne comme cadeau !

6

La magie de Noël

En après-midi, Robin et moi retournons jouer dehors. Après avoir étrenné notre nouvelle luge en descendant la colline au moins mille fois, nous faisons des anges, couchés côte à côte dans la neige folle.

Mon frère me demande, en sortant le collier rouge de sa poche :

— Tu crois que je vais le voir, mon renne ?

J'hésite avant de lui répondre. Je prends le temps de bien réfléchir pour ne pas le peiner.

— Et si on allait voir s'il a mangé la carotte qu'on lui a laissée tantôt ?

Robin me suit à pas lents. Il commence à douter...

Nous nous rendons à l'orée du bois, en suivant nos anciens pas dans la neige. La carotte a disparu ! Tout autour, nous pouvons apercevoir des traces de pattes dans la neige et un tas de petites boulettes : du caca de renne !

Je suis estomaquée ! Robin répète inlassablement :

— Je le savais ! Je le savais ! Mon renne est venu me dire bonjour !

Ce soir-là, je m'endors en pensant à la magie de Noël, à sa beauté et à son pouvoir de réaliser les vœux les plus chers.

Et je me fais une promesse : je ne serai jamais trop grande pour croire en la magie de Noël !

TABLE DES MATIÈRES

J'ai eu la chance d'enseigner au Nunavik, dans le nord du Québec, et de vivre parmi les *Inuit*. Les premiers livres que j'ai publiés sont des histoires puisées dans les souvenirs de mon séjour là-bas. Aujourd'hui, ce sont mes enfants et leurs amis qui m'inspirent.

Noël est une fête très importante pour notre famille. Elle est synonyme de partage et de plaisirs. On prend le temps d'être ensemble et de se faire des surprises fabriquées de nos propres mains. Le texte que je vous propose ici est tiré d'un fait que nous avons vécu.

La magie de Noël nous habite et nous l'entretenons. C'est ce qui rend le reste de l'année si spécial aussi !

Diane Groulx

Depuis bientôt 6 ans, je travaille comme auteure et illustratrice pour la jeunesse. Même si on me connaît davantage comme illustratrice, j'éprouve autant de plaisir à écrire. En effet, j'ai écrit quatre albums pour enfants. Évidemment, je les ai aussi illustrés.

Le renne de Robin, une charmante histoire sur la magie de Noël, est le quatrième roman pour la jeunesse que j'illustre. Mais ce qui me fait le plus plaisir c'est de rencontrer les jeunes dans les écoles et les bibliothèques où j'anime des rencontres. J'apporte toujours ma tablette, mes crayons et quelques originaux.

Au plaisir de te rencontrer et... bonne lecture !

Julie Rémillard-Bélanger

Récents titres aux
Éditions du Phœnix

Shawinigan et Shipshaw, d'Isabelle Larouche, illustré par Nadia Berghella.

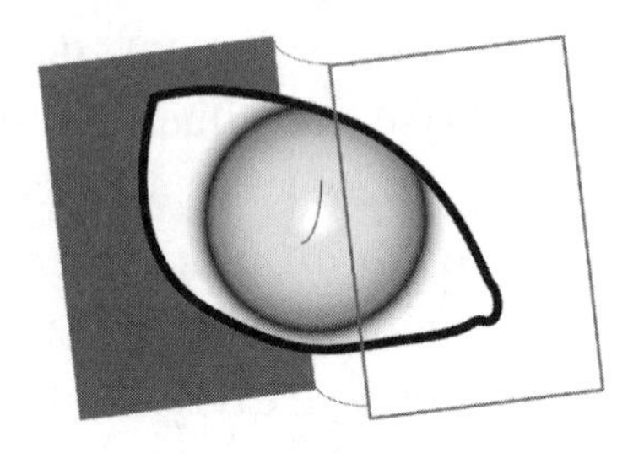

Collection Œil-de-chat

Otages aux pays du quetzal sacré, de Viateur Lefrançois, illustré par Guadalupe Trejo.

Un pirate, un trésor, quelle Histoire ! de Louise Tondreau-Levert, illustré par Hélène Meunier.